LE SEIGNEUR DES ANNEAUX

LA COMMUNAUTE DE L'ANNEAU

LE LIVRE DU FILM

LE SEIGNEUR DES ANNEAUX
LA COMMUNAUTE DE L'ANNEAU
LE LIVRE DU FILM

JUDE FISHER

LE PRÉ AUX CLERCS

LES ANNEAUX DE PUISSANCE

Il y a bien longtemps, pendant le Deuxième Âge de la Terre du Milieu, furent forgés dix-neuf Grands Anneaux qui octroyaient des pouvoirs magiques et une longue vie à leur possesseur. Mais Sauron, Seigneur de Mordor, façonna un Anneau de Puissance en mêlant de l'or fondu à son sang et à sa force vitale, afin de placer tous les autres artéfacts sous son contrôle. Il le forgea dans les tréfonds de la montagne du Destin, prononçant la formule qui allait lui donner vie :

Trois anneaux pour les Rois Elfes sous le ciel,

Sept pour les Seigneurs Nains dans leurs demeures de pierre,

Neuf pour les Hommes Mortels destinés au trépas,

Un pour le Seigneur Ténébres sur son sombre trône

Dans le pays de Mordor où s'étendent les Ombres.

Un Anneau pour les gouverner tous, Un Anneau pour les trouver,

Un Anneau pour les amener tous et dans les ténèbres les lier

Au pays de Mordor où s'étendent les ombres.

Les trois Anneaux détenus par les Elfes ne furent pas touchés par le mal, ceux des Nains ont été cachés en lieu sûr, mais les neuf Anneaux des Hommes lui succombèrent, et ces derniers furent pris au piège, condamnés à marcher dans la pénombre éternelle de son Œil, réduits à l'état de Ringwraiths, les Spectres de l'Anneau.

5

L'ULTIME ALLIANCE DES ELFES ET DES HOMMES

Au cours du Deuxième Âge du Soleil, Sauron réduisit les peuples libres de la Terre du Milieu en esclavage, et son ombre s'étendit loin sur les terres. Le désespoir et la peur s'abattirent sur le monde jusqu'à ce que l'ultime alliance entre les Elfes et les Hommes ne soit formée sous la conduite du roi Elfe Gil-galad et du grand roi de Gondor Elendil, dans un effort désespéré pour briser son pouvoir.

Sur les pentes de la montagne du Destin, leur armée parvint à repousser les forces du Seigneur des Ténèbres, mais Gil-galad, immortel qui n'aurait jamais dû mourir, périt de la main de Sauron de même qu'Elendil, qui brisa dans sa chute sa légendaire épée Narsil, forgée par les Nains pendant le Premier Âge. Son fils, Isildur, prince de Gondor, s'empara d'un fragment de l'épée et se servit d'une arête vive pour arracher l'Anneau du doigt de Sauron, anéantissant finalement sa volonté et son pouvoir.

« Une si petite chose... »

L'Anneau Unique aurait alors dû être détruit, mais Isildur succomba à son pouvoir de séduction et refusa de le jeter, pensant pouvoir l'utiliser pour le bien de son peuple. Il le porta sur lui jusqu'à ce qu'il périsse à son tour sous les coups des Orques dans le Champ aux Iris. Là, l'Anneau se perdit à nouveau dans le grand Fleuve d'Anduin.

C'est ainsi que prirent fin les jours sombres du Deuxième Âge de la Terre du Milieu et que commença le Troisième Âge. Pendant des milliers d'années, Sauron concentra ses efforts sur la reconstitution de ses armées et la recherche de l'Anneau Unique. Mais celui-ci n'était pas resté en place et, par des moyens variés, avait accompli un périple aussi long qu'étrange...

« Celui qui commande l'Anneau de Puissance...

commande toute chose. »

1
LES HOBBITS

Le nord-ouest de la Terre du Milieu forme une région agricole paisible appelée la Comté. La partie occidentale, baptisée le Quartier Ouest, au-delà de la Grande Route de l'Est, abrite le village endormi de Hobbitebourg, un bourg rural étrange habité par un peuple ancien et discret, les Hobbits ou « habitants des trous ». Pendant des centaines d'années, ils ont bien vécu des produits de la terre riche de la Comté et, alors que les premiers d'entre eux vivaient effectivement dans de simples terriers dotés de tunnels, la plupart habitent désormais dans des « maisons » bâties sur les collines herbeuses. Ce sont des maisons basses, rondes et confortables, à l'image des Hobbits qui mesurent à peine 1,20 m et se plaisent à manger aussi souvent et autant que cela est possible. Les repas hobbits comprennent un petit déjeuner, un second petit déjeuner, un en-cas à 11 heures, un déjeuner, un thé et un souper auxquels s'ajoutent plein de petits casse-croûtes. C'est un peuple sédentaire, joyeux, ordonné, dévoué au clan, qui s'enorgueillit de son abondance, de ses ancêtres et de son bon sens. Les Hobbits sont donc naturellement peu enclins aux aventures, et préfèrent fumer leur herbe à pipe au coin du feu à l'auberge du Dragon Vert plutôt que de voyager autour du monde – avec l'exception remarquable de Bilbo Sacquet.

8

Hobbitebourg est une ville satisfaite, tournée sur elle-même, immuable de génération en génération, un lieu où les Hobbits élèvent leurs enfants en sécurité, font pousser des légumes et des céréales, s'occupent de leurs jardins et de leurs animaux, et vont cueillir des champignons pour le dîner. Ils sont totalement ignorants des ombres maléfiques venues de l'est, de Mordor. Bien que la circulation ait augmenté au cours des dernières années et que l'on voie plus souvent des étrangers aux frontières de la Comté, la plupart des Hobbits restent obstinément ignorants du fait que la tranquillité dont ils bénéficient est due aux bons offices de Gandalf le Mage – qu'ils associent plus aux feux d'artifices qu'à la véritable magie – et aux Rôdeurs du Nord. Pour Gandalf, la Comté représente une enclave de charme et d'innocence dans un monde qui ne cesse de se pervertir. Bienveillants et généreux, les Hobbits valent la peine d'être sauvés des horreurs de la domination du Seigneur des Ténèbres.

CUL-DE-SAC

Parce qu'ils sont de petite taille, les Hobbits possèdent des maisons rondes et compactes à leur image. L'architecture hobbite classique comprend des portes et des fenêtres rondes, des murs courbes et des poutres. Leurs propriétaires accordent une grande importance aux meubles agréables et à l'artisanat local, spécialisé notamment dans la menuiserie et l'ébénisterie. Les trous de Hobbits sont des hymnes au confort et à l'hospitalité, avec leurs garde-manger bien approvisionnés, leur atmosphère accueillante et leur ambiance chaleureuse. La maison de Bilbo Sacquet – Cul-de-Sac – en est un excellent exemple.

10

BILBO SACQUET

« Bien trop passionné et curieux pour un Hobbit, tout à fait inhabituel... »

Érudit, poète, chansonnier, raconteur d'histoires et ami des Elfes, Bilbo Sacquet est l'un des plus célèbres et des plus vénérables Hobbits de l'histoire de la Comté, célèbre pour ses gilets de brocart luxueux. Mais il est surtout connu comme aventurier, phénomène rare chez les Hobbits, depuis l'ouvrage *Bilbo le Hobbit* qui relate sa quête héroïque accomplie en compagnie de Gandalf le Mage et de plusieurs Nains, puis son retour à Hobbitebourg avec un certain Anneau remporté à l'issue du concours de devinettes dont il sortit vainqueur contre une créature nommée Sméagol ou Gollum. Nombre de ses voisins – et certains membres de sa famille – l'ont surnommé Sacquet le Fou à la suite de ses aventures.

Lors de la célébration de son cent onzième anniversaire, Bilbo fit de son jeune protégé Frodo son légataire universel, choisissant pour sa part de se réfugier à Fondcombe chez les Elfes afin d'achever son œuvre en toute tranquillité et d'étudier les sciences elfiques en compagnie d'Elrond Semi-Elfe.

« La route se poursuit sans fin
Descendant de la porte où elle commença.
Maintenant, loin en avant, la route s'étire
Et je la dois suivre, si je le puis... »

FRODO SACQUET

« Il est dangereux, Frodo, de s'aventurer hors de chez soi… »

Orphelin de bonne heure, Frodo Sacquet fut adopté par le hobbit qu'il appelait oncle Bilbo. Celui-ci l'emmena vivre dans sa grande maison de Cul-de-Sac, non par charité, mais parce qu'il était son seul proche à avoir de l'esprit. En grandissant, Frodo devint un garçon intelligent et sensible, fasciné par la bibliothèque de Bilbo et les récits de ses voyages exotiques en Terre du Milieu. Élève doué, Frodo apprit à lire et à écrire les rudiments de la langue elfique, capacité qui lui vaudra le surnom d'« Elfellon », l'« ami des Elfes ».

Pourtant, nombre des habitants de Hobbitebourg sont enclins à penser qu'après avoir passé tant de temps parmi les récits des Elfes, des Nains et des dragons, Frodo a perdu le sens pratique et sait à peine « faire la différence entre un rutabaga et un navet », selon le proverbe de la Comté.

Malgré cela, Frodo a beaucoup sillonné les environs de Hobbitebourg, et exploré les tours et détours de la Comté avec son ami Sam Gamegie, développant ainsi un goût pour le voyage. Ce qui est aussi bien puisqu'il sera appelé à accomplir un long périple.

Quand Bilbo Sacquet décide de quitter Hobbitebourg afin d'aller vivre parmi les Elfes, Frodo hérite non seulement de sa demeure, mais de l'ensemble de ses possessions, dont un certain Anneau qu'il va devoir porter au-delà de la Comté et bien plus loin encore.

« Même l'individu le plus petit peut changer le cours des choses… »

Bien qu'il ne s'agisse apparemment que d'un anneau en or inoffensif, cet Anneau est un lourd fardeau à l'origine de tentations constantes et des murmures de la Langue noire de Mordor. Il a le pouvoir d'attirer l'attention des serviteurs de l'Ennemi, puisque l'Œil de Sauron est constamment à sa recherche. L'Anneau ne rêve que de revenir entre les mains de son ancien propriétaire.

Le porteur de l'Anneau est donc potentiellement toujours en danger. Pour se protéger, Frodo recevra de Bilbo une épée elfique, connue sous le nom de Dard, arme magique qui émet une lueur bleue à l'approche des Orques, ainsi qu'une cotte de mailles taillée dans une matière magique, le *mithril*, un métal extrait en des lieux secrets par les Nains. Aussi légère qu'une plume et plus dure que les écailles d'un dragon, elle peut être dissimulée sous les vêtements, mais protège efficacement de la plus redoutable des lames ; elle fut offerte à Bilbo par Thorin, le roi des Nains.

15

SAM GAMEGIE

Jardinier comme son père Ham, surnommé « l'Ancien », Sam Gamegie a passé toute sa vie dans le village de Hobbitebourg et ses environs. Bien qu'il ait exploré les régions voisines de la Comté avec ses amis, au cours de cueillettes de champignons et d'incursions pour voler des légumes, il n'a jamais été plus loin, même si les récits de Bilbo Sacquet l'ont complètement fasciné. S'occupant du jardin de Cul-de-Sac, Sam a entendu la plus grande partie des aventures de Bilbo, ses voyages dans des contrées inconnues et ses contacts avec les populations exotiques de la Terre du Milieu, les Elfes notamment, qui frappèrent son imagination.

La serveuse du Dragon Vert, populaire auberge de Hobbitebourg, a elle aussi frappé son imagination. La jeune Rosie Cotton est sans doute l'une des plus jolies Hobbites de la Comté mais, malheureusement, Sam est trop timide pour l'aborder, malgré les encouragements et les taquineries de ses amis.

Au lieu de cela, il se contente de s'asseoir confortablement avec une bonne pipe et une bouteille de la meilleure bière de la Comté en écoutant les conversations alentour.

16

Calme, solide et digne de confiance, Sam a toujours été un parfait compagnon pour son ami et maître Frodo Sacquet, auquel il est entièrement dévoué. Hobbit au grand cœur – et au grand appétit –, Sam refuse de rester en arrière alors que Frodo entreprend sa quête, bien qu'au départ on ne voit pas très bien comment il pourra être utile. De prime abord, ce garçon de bon sens et loyal ne semble guère posséder une intelligence éblouissante, ni une bravoure exceptionnelle, ni même la maîtrise du maniement de l'épée. Cependant, l'adversité peut faire apparaître des héros là où on ne les attendait pas. Dans le cas de Sam, elle transformera son entêtement en une volonté de fer et sa loyauté à toute épreuve en un courage extraordinaire.

MERIADOC BRANDEBOUC

Meriadoc Brandebouc – pour lui donner son nom complet rarement employé – est le fils du Maître de Brandebouc, l'une des familles les plus importantes et les plus riches de la Comté. On le connaît sous le nom de Merry, abréviation qui convient bien à sa nature joyeuse et épanouie.

Garçon facétieux, vivant et audacieux, il est un ami de longue date de Frodo Sacquet, adore les farces et s'attire des ennuis, notamment avec son cousin, Peregrin Touque, mieux connu sous le nom de Pippin.

18

Comme tous les Hobbits, il aime manger, boire et s'amuser, cueillir les champignons, chasser, voler des pommes, des choux et des carottes dans les champs des fermiers voisins et passer des soirées confortables au bar de l'auberge du Dragon Vert avec un peu d'herbe à pipe. Ainsi se résume son expérience du monde jusqu'alors. Mais essayez donc de garder Merry Brandebouc

chez lui quand une aventure se profile avec des dangers potentiels !

Quand il rejoint Frodo dans sa quête, Merry n'a aucune idée des dangers qu'il est susceptible de rencontrer, mais les Hobbits forment un peuple étonnant dont les plus grandes qualités se révèlent surtout dans les situations périlleuses. Quant à leur tendance aux farces et aux plaisanteries, elle peut se transformer sous la pression en initiatives et en courage.

Armé d'un couteau elfique bien affûté que lui a donné le Rôdeur, connu sous le nom de Grands-Pas, Merry va bientôt découvrir la véritable signification du mot « aventure ».

L'HERBE À PIPE

Pippin et Merry s'intéressent particulièrement à l'un des principaux produits d'exportation de la Comté, l'herbe à pipe, plante fumée dans de longues pipes en argile et en bois. Qu'il s'agisse de la *Nicotiana* sauvage ou des jardins, cette plante pousse en différents recoins de la Terre du Milieu, mais on considère généralement que les meilleurs plants (spécialement la Feuille de Longoulet et le Vieux Tobie) ont été cultivés et développés dans le Quartier Sud de la Comté. L'habitude de fumer cette herbe s'est largement répandue depuis la Comté jusqu'aux terres des Hommes et au-delà : Aragorn, fils d'Arathorn, partage avec les Hobbits l'amour de cette plante, tout comme les Mages Istari, Gandalf le Gris et Saroumane le Blanc.

PEREGRIN TOUQUE

« Fou de Touque… »

Peregrin Touque – connu sous le nom de Pippin – est le plus jeune des quatre Hobbits de la Communauté de l'Anneau. Cousin germain de Frodo et cousin de Merry, il a passé toute sa vie dans la Comté et n'a jamais posé le pied à l'extérieur de ses frontières.

Merry est son meilleur ami. Inséparables, on les voit rarement l'un sans l'autre. Pendant des années, ils ont constitué une menace pour la population de Hobbitebourg et de ses environs par leur gaieté et leurs farces. La célébration du cent onzième anniversaire de Bilbo Sacquet, avec son abondance de bière et de feux d'artifices, leur a donné d'infinies possibilités de se mettre dans des situations délicates.

20

Pourtant, si l'on veut être juste, Pippin est rarement l'instigateur de ces mésaventures. Il suit Merry sans se poser de questions, voilà tout. Naïf, doux et très étourdi, Pippin est sans doute le moins préparé des compagnons de Frodo aux dangers et aux ténèbres qu'ils vont rencontrer au cours de leur quête. Mais les Hobbits savent s'adapter, avec leur cœur bien accroché et une grande détermination. Alors qu'au départ Pippin apparaît plus comme un boulet que comme un atout pour la Compagnie, il aura bientôt à se servir d'une épée elfique pour défendre ses compagnons ainsi que lui-même – et il s'en servira.

PIEDS DE HOBBITS

Les Hobbits portent rarement, voire jamais, de chaussures ou de bottes. Par conséquent, ils ont des plantes de pieds épaisses et des poils sur le dessus pour les protéger du froid.

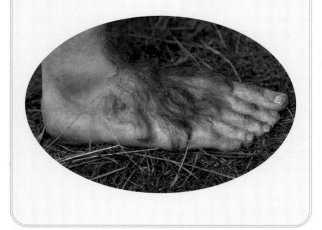

2
LES HOMMES

« Les Hommes sont faibles. Le noble sang de Numenor ne coule plus dans leurs veines.

Ils n'aspirent à rien d'autre qu'à satisfaire leurs petits désirs mesquins… »

Au cours du Deuxième Âge de la Terre du Milieu, Elendil – Grand Roi de Gondor – et son fils Isildur joignirent leurs forces à celles des Elfes sous le commandement du légendaire roi elfique Gil-galad pour défier Sauron et les forces de l'ombre. La bataille de Dagorlad fut la plus sanglante de toutes : Gil-galad et Elendil périrent, mais le Seigneur des Ténèbres fut repoussé jusqu'aux pentes de la montagne du Destin, où les Hommes et les Elfes, combattant ensemble pour la dernière fois, parvinrent à le vaincre.

Avec la lame brisée de Narsil, la fameuse épée de son père, Isildur – devenu à son tour le souverain des Hommes – s'empara de l'Anneau que portait Sauron, le privant ainsi de ses pouvoirs surnaturels. C'est ainsi que le Deuxième Âge prit fin.

« On trouve la faiblesse et la fragilité,
mais aussi le courage et l'honneur
chez les Hommes. »

C'est ainsi que le Seigneur des Ténèbres aurait dû être anéanti à jamais. Mais les Hommes sont imparfaits par nature. Au lieu de détruire l'Anneau Unique, Isildur voulut le garder pour son propre usage et pour le bien de son peuple, déclarant qu'il serait désormais un bijou de famille et que tous ceux de sa lignée seraient liés au destin de l'Anneau. Ainsi, trois mille ans plus tard, au cours du Troisième Âge de la Terre du Milieu, son descendant Aragorn, fils d'Arathorn, dernier chef de Dunedain et héritier du royaume de Gondor, découvrit que son destin se trouvait lié à celui de l'Anneau et à la quête lancée pour le détruire.

Isildur tomba lors d'une attaque des Orques au champ des Iris et l'Anneau se perdit dans les eaux de l'Anduin. Avec sa mort, les Hommes se retrouvèrent sans souverain et depuis ne cessèrent de s'affaiblir, se divisant en factions et en tribus. Les Easterling et Haradrim soutiennent le Seigneur des Ténèbres. Les Rohirrim, vivant dans les riches terres et les montagnes qui bordent la forêt de Fangorn ainsi que les Gondoriens, dont la capitale est la Cité blanche de Minas Tirith, sont les deux royaumes les plus proches de l'ombre de Mordor. Jamais, depuis la chute d'Isildur, le peuple de Gondor n'a eu d'autre souverain.

« Le sang de Numenor a fini de couler,
sa fierté et sa dignité sont oubliées.
Les Hommes sont dispersés, divisés,
sans chef… »

BREE

La ville de Bree est située sur la frontière orientale de la Comté, au croisement de la Grande Route de l'Est et de la Grande Route du Nord. Composée de maisons à deux étages en pierre à colombages, cette agglomération est nichée au creux d'une petite colline boisée. Elle abrite une population des plus variées avec des Hommes, des Hobbits et même un ou deux Nains. Beaucoup d'autres passent dans cette ville placée à la jonction de deux grandes routes. Du fait de sa position stratégique, Bree est cernée d'une haie épaisse et d'une porte monumentale, manœuvrée par un garde qui surveille les entrées et les sorties de la Grande Route de l'Est.

L'auberge du Poney Fringant est le lieu de rencontre privilégié de la ville. C'est la plus ancienne et les voyageurs s'y arrêtent pour trouver un toit et de la nourriture, échanger des informations et des commérages de tous les coins de la Terre du Milieu. L'aubergiste, Prosper Poiredebeurré, sert une très bonne bière mais, malheureusement, possède une mémoire plus que déficiente.

25

ARAGORN

« C'est un de ces types qui vagabondent… Les Rôdeurs, qu'on les appelle. »

À Bree, dans l'auberge du Poney Fringant, les Hobbits rencontrent un homme grand, hâlé au regard aigu. Ses vêtements portent les traces de ses pérégrinations et il est bien armé. Prosper Poiredebeurré, l'aubergiste, les informe que l'homme s'appelle Grands-Pas, que c'est un Rôdeur, ainsi que l'on nomme les vagabonds originaires du Nord qui cheminent sur leurs grandes jambes et apparaissent quand on les attend le moins.

Bien qu'il ait l'air sombre et dangereux, Grands-Pas est beaucoup plus que ce qu'il semble être au premier abord. En ces temps difficiles, déguisements et subterfuges sont nécessaires pour écarter l'œil de l'Ennemi, et Grands-Pas se révèle rapidement être un proche allié de Gandalf le Gris.

Le mystérieux Grands-Pas est issu de la plus noble des lignées ; de son vrai nom Aragorn, fils d'Arathorn, il est le chef de Dunedain, dernier rameau humain du Nord, et bien qu'il ne porte pas de couronne, il est le descendant des Grands Rois, l'héritier d'Isildur de Gondor. Comme preuve de ses origines, il porte deux bijoux anciens et puissants : la poignée brisée de Narsil avec laquelle Isildur sectionna l'Anneau que portait Sauron, et l'Anneau de Barahir, formé de deux serpents entrelacés avec des yeux en émeraude, leurs têtes se rejoignant sous une couronne de fleurs dorées que l'un dévore et que l'autre soutient.

Enfant orphelin, Aragorn fut élevé dans la maison d'Elrond Semi-Elfe à Fondcombe. Il aime depuis longtemps la fille de celui-ci, la belle Arwen Undomiel, mais elle appartient à la race des Elfes immortels alors qu'il est mortel. Leur avenir nécessitera de procéder à un choix terrible.

Le destin pèse lourdement sur Aragorn. En tant que membre de la Communauté, engagé au service du porteur de l'Anneau, une longue quête et de nombreuses batailles l'attendent, dont dépendra le sort des peuples libres de la Terre du Milieu. Aragorn, fils d'Arathorn, a donc deux tâches cruciales mais peu enviables à accomplir avant même de pouvoir considérer des choix personnels.

BOROMIR

« Gondor n'a pas de souverain, Gondor n'a pas besoin de souverain… »

Boromir est le fils aîné de Denethor, l'intendant de Gondor qui gouverne Minas Tirith, la capitale de Gondor. Depuis la chute d'Isildur, fils d'Elendil, les Gondoriens n'ont pas eu de roi, chargeant un noble intendant d'administrer le pays, jusqu'au jour où l'héritier légendaire d'Isildur reviendra réclamer son trône. De fait, le roi est absent depuis si longtemps qu'on a perdu tout espoir qu'un tel Homme puisse encore exister.

« Dans un rêve, j'ai vu le ciel de l'Orient s'assombrir mais, à l'ouest, une pâle lumière perdurait.

Une voix criait :"Votre destin est en marche, l'assassin d'Isildur a été retrouvé !"… »

Boromir a voyagé en direction du nord vers Fondcombe pour chercher la signification d'un rêve récurrent annonçant le réveil de l'« assassin d'Isildur » – responsable de la mort du Grand Roi. Il apprendra à Fondcombe qu'il s'agit de l'Anneau Unique, dont Bilbo Sacquet est en possession. Gondor est le royaume de la Terre du Milieu le plus proche de l'Ombre : les sommets ténébreux de Mordor sont clairement visibles depuis les remparts de Minas Tirith, et les guerriers gondoriens

doivent sans cesse repousser les incursions des Orques et d'autres créatures du Seigneur des Ténèbres.

À l'image de l'ancien Grand Roi Isildur, Boromir voit lui aussi l'usage qu'il pourrait faire de l'Anneau Unique pour défendre son peuple. Pourtant quand l'homme hirsute et sombre, connu sous le nom de Grands-Pas, se révèle être en réalité Aragorn, le fils d'Arathorn, dernier chef de Dunedain et héritier du royaume de Gondor, Boromir n'est pas entièrement convaincu de la capacité de l'homme à réunir les anciens royaumes et à les mener dans une ère nouvelle.

Malgré ses doutes, il offre ses services au porteur de l'Anneau et l'aide dans sa quête, devenant un membre vaillant de la Communauté de l'Anneau.

Boromir porte une grande épée, un bouclier et une corne de bœuf sauvage cernée d'argent portant une inscription en lettres anciennes selon laquelle en soufflant dans la corne en cas de cruel besoin à l'intérieur des frontières de Gondor, on obtiendra aussitôt de l'aide. Mais lorsque Boromir est acculé par les Orques alors que la Compagnie se dirige vers le sud, il est sans doute trop éloigné des frontières de sa patrie pour que l'aide puisse arriver à temps.

3
LES ELFES

« Ils vivent dans les deux mondes à la fois – le Visible et l'Invisible… »

Les Elfes forment la plus belle et la plus vénérable des races de la Terre du Milieu. Tout ce qu'ils créent, qu'il s'agisse d'Anneaux de Puissance, d'armes, de musiques ou de leur langage, est à la fois magique, raffiné et d'une grande beauté. Immortels et éternellement jeunes, ils vivent dans la Terre du Milieu depuis la nuit des temps et furent les premiers êtres doués de la parole. Mais le Troisième Âge leur a apporté la tristesse. Leur présence en ce monde touche à sa fin : on ne voit plus qu'exceptionnellement des Elfes, et beaucoup d'entre eux ont déjà traversé la mer en direction des Terres Immortelles, où ils continueront de vivre à jamais dans le bonheur, loin des soucis et des épreuves d'un monde déchiré par la guerre.

« Jeunes et vieux ensemble… si vivants, mais si tristes »

Malgré tout, de petites communautés d'Elfes survivent dans le monde : dans le nord de la Forêt Noire à Vert-Bois-le-Grand, à Fondcombe, leur ancien refuge, et en Lothlórien, dans le Bois doré, terre de Dame Galadriel et du Seigneur Celeborn. Grands et minces, l'œil vif et la parole douce, les Elfes ont toujours marché légèrement sur la terre. Leurs chansons se font l'écho du passage du temps.

Nai tiruvantel ar varyuvantel i Valar tielyanna nu vilja
Puisse le Valar vous protéger sur votre route sous le ciel

FONDCOMBE

« Il y a de la magie ici, en profondeur, en des lieux
que vos mains ne peuvent atteindre… »

Depuis des milliers d'années grâce au pouvoir des Elfes, Fondcombe a été un refuge protecteur contre le Mal. Elle se dresse dans une vallée profonde de l'Eriador oriental, dans les collines qui bordent les sommets enneigés des Monts Brumeux. Elle est formée de bâtiments elfiques élégants aux jardins ensoleillés avec terrasses et cours qui sont gravées et ornées de statues, de peintures murales et de tapisseries remarquables.

Le maître de Fondcombe est Elrond, seigneur des Elfes. C'est à Fondcombe que se tint le Conseil d'Elrond où il fut débattu de l'Anneau Unique et la façon de le détruire.

ELROND

Pendant le Deuxième Âge, au cours de la guerre contre Sauron, Elrond découvrit le havre de paix de Fondcombe qui servit de refuge à son peuple et dont il est le Seigneur depuis lors. Il combattit à la bataille de Dagorlad lors de la dernière alliance des Elfes et des Hommes en tant que héraut du roi Elfe Gil-galad qui tomba pendant la grande bataille. Quand Isildur trancha l'Anneau Unique placé au doigt de Sauron, Elrond l'exhorta à le détruire dans les flammes de la montagne du Destin, mais il ne fut pas écouté. Sauron eut ainsi une chance de reconstituer son pouvoir.

Âgé de un millénaire, Elrond Semi-Elfe est le fils d'Eärendil le Marin et d'Elwing. C'est un guérisseur légendaire, gardien du vaste savoir des Elfes. Il porte Vilja, l'Anneau de l'air, l'un des trois grands anneaux elfiques forgés au cours du Deuxième Âge de la Terre du Milieu. Son nom – Semi-Elfe – dérive de ses origines car sa ligne généalogique remonte jusqu'au héros Beren, un Homme et à la princesse elfique Luthien, qui abandonna son immortalité pour vivre avec lui en Terre du Milieu.

C'est Elrond qui réunit à Fondcombe un Conseil des représentants des peuples libres de la Terre du Milieu afin de prendre une décision concernant l'Anneau de Puissance de Sauron.

Elrond Semi-Elfe a une fille, la belle Arwen ; il a en outre élevé et protégé l'héritier de Dunedain, Aragorn, fils d'Arathorn, jusqu'à ce que celui-ci soit en mesure de réclamer son légitime héritage.

...lacement des ruines de la tour de ...èrent les Cavaliers Noirs de Sauron .

...eur Elrond situé au pied

...de la Moria, c'est la plus grande des ...dans la roche sous les Monts Brumeux.

Terre du Milieu

FOROCHEL

FORODWAITH

CARN DÛM

ANGMAR

LANDES D'ETTEN

ARNOR

ERIADOR

FORLINDON

RIVIÈRE LUNE

COLLINES D'EVENDIM

LAC EVENDIM

FORNOST

MARCHE DE L'OUEST

MICHEL DELVING

HOBBITEBOURG

MIDGE WATER

WEATHERTOP

BREE

GRANDE ROUTE

RIVIÈRE VENTRABAS

GOLFE DE LA LUNE

FORLOND

LES HAVRES GRIS

LA COMTÉ

COLLINES

FORÊT DE BUCKLAND

LA VIEILLE FORÊT

LE CHEMIN VERT

RHUDAUR

EAUX TROUBLES

EREGION

HARLOND

MONTS BLEUS

HARLINDON

RIVIÈRE BRANDEVIN

GUÉ DE SARN

TARBAD

VIEILLE ROUTE DU SUD

PAYS DE DUN

MINAIRIATH

FLOT GRIS

ENEDWAITH

ISENMOUTHE

TROUÉE DE ROHAN

RIVIÈRE DE...

MONTAGNE...

RIVIÈRE LEFNOI

PINNATA GELIN

ANFALAS

BAIE DE BELFALAS

UMBAR

HOBBITEBOURG
Ravissant village rural de la Comté, dans le nord-ouest de la Terre du Milieu, et lieu de résidence de Bilbo et de Frodo Sacquet.

WEATHERTOP
Entre Bree et Fondcombe, em
Amon Sûl où les hobbits rencon

BREE
Cité d'Hommes et de Hobbits, placée au carrefour de deux grandes routes à l'est de la Comté.

FONDCOMBE
Refuge des Elfes fondé par le Seign
des Monts Brumeux.

LES MONTS BRUMEUX
Chaîne de montagnes d'altitude s'étendant, telle une colonne vertébrale, de la Lande du Nord jusqu'à la trouée de Rohan.

KHAZAD-DÛM
Connue aussi sous le nom
résidences des Nains, creusé

GRAND FLEUVE ANDUIN
Fleuve qui s'écoule depuis les Montagnes Grises au nord jusqu'à la baie de Belfalas au sud.

à l'est du fleuve Anduin sur
born et Dame Galadriel.

aume des seigneurs
lor et Gondor.

ISENGARD
Forteresse inexpugnable protégée par la trouée de Rohan dans laquelle réside le mage Saroumane le Blanc.

aume de Gondor dans le
ant les terres de Mordor.

MORDOR
Le terrible royaume de Sauron, le Seigneur des Ténèbres dans le sud-est de la Terre du Milieu.

DÉSERT DU NORD

NORD

...AITH

MONTAGNES GRISES

BRANDE DESSÉCHÉE

MONTS DU FER

MONT ...NDARAD

EREBOR

ESGAROTH

MONTAGNES DE LA FORÊT NOIRE

CARROCK

ANCIENNE FORÊT

RIVIÈRE VIVE

R H O V A N I O N

R H Û N

CHAMP AUX IRIS

...ORIA

COURS D'ARG...

DOL GULDUR

MER DE RHÛN

...ORIEN

...AUROVEL

ANDUIN, LE GRAND FLEUVE

LES TERRES BRUNES

...NGORN

LIMEC... AIRE

WOLD

OUEST EMNET

EST EMNET

...OHAN

MARAI DES MORTS

MORANNON

MONTS CENDRÉS

...RE DE HELM

...DORATH

ENTWASH

RAVROS

UDÛN

...BLANCHES

NINDALF

...ERETH

CAIR ANDROS

MONTAGNE DU DESTIN

BARAD-DÛR

...KIRI...

...TSOG

...NGOROTH

GORGOROTH

...MROTH

...EALAS

LEBENNIN

MINAS MORGOL

ITHILIEN

M O R D O R

MER DE NÛRNEN

MONTS DE NURN

...ONDOR

SIRITH

BELFALGOS

RIVIÈRE POROS

MONTS DE L'OMBRE

...ARONDOR

ROUTE DU HARAD

KHAND

PROCHE HARAD

CITÉ DES CORSAIRES

...VRES ...UMBAR

H A R A D W A I T H

EXTRÊME HARAD

LOTHLÓRIEN

Le royaume forestier des Elfes
lequel règnent le Seigneur Cele...

EDORAS

Capitale de Rohan, le roy...
à cheval, situé entre Eria...

MINAS TIRITH

La cité aux sept niveaux du roy...
sud de la Terre du Milieu, bord...

ARWEN

Fille d'Elrond et petite-fille de Galadriel, Arwen, la Dame du Bois doré, est considérée comme la plus belle de toutes les créatures. Ses cheveux sont noirs comme une rivière la nuit, ses yeux d'un bleu céleste. Âgée de un millénaire et, comme son père, pétrie de la sagesse accumulée et du savoir des Elfes, elle aime un humain mortel. Elle fut élevée par les Elfes de Lothlórien, le Bois doré, mais, revenue sur les terres de son père, elle fit la connaissance d'Aragorn, fils d'Arathorn, dont elle tomba amoureuse. Aragorn a été recueilli par Elrond à la mort de ses parents. Elle devra affronter un choix terrible : agir comme le souhaite Aragorn, partir avec les autres Elfes et traverser la mer jusqu'aux Terres immortelles ou, comme son ancêtre Lúthien, abandonner son immortalité pour devenir une épouse mortelle.

« La lumière d'Undomiel ne décroît
ni ne décline : elle est constante, même
dans les ténèbres les plus profondes. »

Arwen porte un bijou elfique superbe et magique, appelé Undomiel (nom que l'on donne parfois à Arwen elle-même). Il symbolise non seulement sa bonté et sa beauté, mais aussi sa longévité : en le donnant à Aragorn afin qu'il le porte au cours de son long périple vers les ténèbres, elle engage aussi son cœur et sa vie.

« Je vais lier mon sort au tien, Aragorn
des Dunedain : car pour toi je renoncerai
à la vie immortelle de mon peuple. »

40

LEGOLAS

Le prince Legolas – dont le nom elfique signifie « feuille verte » – est le fils du roi Thranduil du Royaume de la Forêt Noire du Nord. Il a voyagé en direction du sud afin d'assister au Conseil d'Elrond à Fondcombe en tant qu'envoyé des Elfes des Forêts habitant la grande Forêt Noire. Autrefois superbe, celle-ci est désormais envahie par les Orques, les loups et d'autres esprits maléfiques et errants asservis au pouvoir des ténèbres, alors que l'ombre de Mordor s'étend toujours plus loin à l'intérieur de la Terre du Milieu.

Les Elfes étant une race ancienne, Legolas connaît Grands-Pas le Rôdeur depuis longtemps, ainsi que sa véritable identité. Comme beaucoup des siens, il se méfie des Nains, ce qui aboutira à une relation difficile avec l'envoyé des Nains d'Erebor, Gimli, fils de Glóin.

Legolas apporte des capacités uniques et très utiles à la Communauté de l'Anneau – la fraternité des Neuf Marcheurs choisis par Elrond pour transporter l'Anneau dans la Terre du Milieu. Les Elfes ont le pouvoir surnaturel de se déplacer beaucoup plus légèrement que les autres peuples. Legolas est capable de courir rapidement et sans efforts sur les terrains les plus difficiles, sans pratiquement laisser d'empreinte, même sur la neige nouvellement tombée. Comme tout Elfe des forêts, il connaît parfaitement les arbres et sait observer l'environnement afin de déceler les traces de passages, même les plus infimes, laissées par les oiseaux et les animaux. Il peut voir plus clairement et sur une plus longue distance que les autres membres du groupe. Archer hors-pair, il fait mouche à tous les coups de ses flèches elfiques qu'il met au service de Frodo Sacquet.

Legolas porte aussi deux longs couteaux blancs aux lames filigranées – des armes mortelles car les Elfes fabriquent les lames les plus aiguisées de la Terre du Milieu.

LOTHLÓRIEN

« La magie étrange de la Forêt d'Or… »

Lothlórien, la Forêt d'Or, est nichée à l'est des Monts Brumeux, à proximité du Cours d'Argent qui se jette dans le Grand Fleuve Anduin. C'est le plus beau royaume Elfe restant en Terre du Milieu.

Lothlórien abrite les Elfes verts qui sont pratiquement invisibles aux visiteurs des bois qu'ils protègent en circulant rapidement et en silence sous les frondaisons, dissimulés par leurs manteaux magiques aux tons gris. Dans les bois dorés poussent les mallornes, les plus grands et les plus beaux arbres de la Terre du Milieu.

Dans l'herbe des forêts s'épanouissent les étoiles dorées d'elanor et les fleurs blanches de niphredil. Les troncs argentés des mallornes se terminent en une superbe voûte de feuilles dorées avec des branches multiples abritant les demeures des Elfes.

« Le cœur du royaume des Elfes sur la terre… »

La cité de Caras Galadhon est située au cœur de la Forêt d'Or, lieu de résidence du Seigneur Celeborn et de Dame Galadriel qui vivent dans un palais superbe, haut perché dans la couronne du mallorne le plus majestueux.

DAME GALADRIEL

Dame Galadriel – « la dame de lumière –, grand-mère de Dame Arwen, est une reine Elfe d'une beauté extraordinaire, avec un visage aux traits éternellement jeunes et une longue chevelure dorée. Elle n'est pas une simple mortelle, mais une femme très puissante, portant l'un des grands Anneaux – Nenya – l'Anneau de Diamant. Si l'Anneau Unique entrait en sa possession, elle serait un adversaire redoutable pour Sauron, le Seigneur des Ténèbres.

« Le Miroir montre des choses qui furent, des choses qui sont

et des choses qui pourront encore être. »

Galadriel possède également un miroir magique dans lequel on peut voir des images du passé, du présent ou du futur.

Son mari, le Seigneur Celeborn, est originaire du royaume septentrional de la Forêt Noire. Ses cheveux longs et argentés encadrent un visage beau et grave, ne montrant aucun signe de son grand âge.

Seigneur Celeborn et Dame Galadriel ont su préserver la Forêt d'Or, hâvre sûr pour les Elfes qui ont choisi de rester dans la Terre du Milieu plutôt que de s'embarquer vers les Terres Immortelles par la magie et sous l'œil vigilant de leurs soldats dirigés par des capitaines de la trempe de Haldir, Elfe des bois.

Galadriel et Celeborn offrent des cadeaux superbes à la Compagnie : des manteaux elfiques qui les rendront invisibles aux yeux de leurs ennemis, fermés par des broches en forme de feuilles vertes et argent ; des *lembas* – le pain elfique, apparemment sans substance, une seule bouchée suffit pourtant à nourrir un Homme adulte ; trois bateaux elfiques afin de passer par le fleuve Anduin plutôt que par les territoires infestés d'Orques ; un couteau de chasse elfique à Aragorn ; un arc et un superbe carquois rempli de flèches à Legolas ; des ceintures et de petites dagues en argent à Merry et à Pippin ; une corde faite en *hithlain* magique à Sam, qui lui servira plus qu'aucune épée, et, pour Frodo, un flacon en cristal contenant la lumière du légendaire Eärendil, qui saura éclairer les endroits les plus sombres quand toutes les autres sources lumineuses auront disparu.

4

LES NAINS

Peuple de la Terre du Milieu parmi les plus anciens et à la plus grande longévité, les Nains sont forts et vigoureux, plus petits que les Hommes, mais plus grands que les Hobbits. Ils habitent dans des demeures dissimulées sous la terre, formées d'un enchevêtrement complexe de caves et de tunnels.

Les Nains sont réputés pour leur vaillance dans la bataille et leur compétence légendaire dans l'extraction des minerais ainsi que le travail du métal et de la pierre. Depuis la nuit des temps, ils ont créé des objets extraordinaires dans leurs forges, notamment les haches, les épées et les bijoux les plus remarquables. Ils sont aussi les concepteurs d'une architecture monumentale souterraine. En creusant profondément à l'intérieur des montagnes afin d'extraire des métaux et des bijoux précieux, ils découvrirent une substance merveilleuse, le mithril – un bel argent présent en filons épais dans le vaste royaume de la Moria ou le Gouffre noir – qu'ils appellent Khazad-dûm dans leur langue. Le mithril, qui possède des qualités remarquables de dureté et de légèreté, est extrêmement apprécié dans le monde. L'amour que les Nains portent à de telles richesses leur a valu la réputation, à tort ou à raison, d'être assoiffés d'or et cupides.

À la suite de la guerre menée entre Sauron et les Elfes au Deuxième Âge, les Nains de la Moria se sont retirés du conflit et réfugiés dans leur royaume sous la montagne, fermant leur porte au monde. Ainsi, le commerce et l'amitié entre les Elfes et les Nains se muèrent-ils en méfiance et en hostilité entre les deux races.

48

GIMLI

« Je l'ai connu alors qu'il n'arrivait encore qu'à la cheville d'un Hobbit. »

Noble Nain d'Erebor – le Mont Solitaire –, Gimli, fils de Glóin, est parti en qualité d'envoyé au Conseil d'Elrond à Fondcombe, où il représente son peuple. Là, il sera volontaire pour faire partie des Neuf Marcheurs qui accompagneront Frodo dans sa quête.

Comme tous les Nains, à la fois têtu et dur, fier et indomptable, Gimli est un guerrier valeureux. Il peut aussi être mal luné, revêche et, comme beaucoup de ses semblables, il a une méfiance profonde envers les Elfes et leurs manières étranges, empreintes de sorcellerie.

Néanmoins, il mettra sa hache au service de Frodon et essaiera de supporter avec autant de bonne grâce que possible la présence d'un Elfe dans la Compagnie.

Comme il convient à un grand combattant, Gimli porte une armure complète avec une épaisse cotte de mailles, un haubert de cuir et un casque décoré. Il porte plusieurs armes : une grande hache caractéristique d'Erebor avec sa lame en croissant de lune dans une main, une petite dans l'autre ; en Khazad-dûm, il ajoutera à sa panoplie une puissante hache biface de combat, chef-d'œuvre des artisans de la Moria, avec ses lames puissantes et très épaisses.

51

LA MORIA

« Leurs propres maîtres ne pourront les trouver si leur secret est oublié… »

Pour pénétrer dans le royaume souterrain des Nains à la Moria, depuis la vieille route elfique partant de Hollin, il faut localiser et ouvrir l'une des portes invisibles placées dans la roche. À des époques reculées, ces portes étaient ouvertes et gardées mais, au Troisième Âge, le temps de la confiance est révolu. Si une personne connaissant le secret place ses mains sur la roche, de pâles motifs argentés apparaîtront qui brilleront dans la lumière de la lune. Ces sceaux, emblèmes de Durin, Seigneur de la Moria (un marteau et une enclume), sont en forme de couronne avec sept étoiles, de deux arbres surmontés de croissants de lune et d'une étoile unique – l'étoile de la Maison de Fëanor.

53

Ils ont été façonnés dans l'*ithildrin* (terme elfique pour *starmoon* – étoile-lune), une substance ne reflétant que la lumière de la lune ou des étoiles et ne se dévoilant qu'aux personnes capables de parler les langues anciennes de la Terre du Milieu.

L'inscription gravée sur la porte est écrite dans une vieille forme d'elfique et s'énonce ainsi : « Les Portes de Durin, Seigneur de la Moria. Parlez, ami, et entrez. »

LE MITHRIL

« La richesse de la Moria n'était pas faite d'or ou de bijoux, mais de mithril… »

Seules les mines les plus profondes de la Moria, au tréfonds des montagnes, recèlent cette substance précieuse. On la nomme aussi « argent de la Moria » ou « véritable argent » ; son nom elfique est le *mithril*. Elle a beaucoup plus de valeur que l'or, les Nains en font un métal extraordinairement dur, tout en étant exceptionnellement léger. Frodo a hérité une cotte de maille en mithril de Bilbo qui, lui-même, l'avait reçue de Thorin, le roi des Nains.

LES ISTARI

Le mot « Istari » appartient à la langue elfique et désigne une fraternité de mages.

Ces mages sont des Maiar – esprits qui précédèrent la Terre du Milieu – envoyés par le Valar, l'Être le plus remarquable et le plus vénérable entre tous, depuis les Terres immortelles jusqu'au monde mortel afin de guider les peuples libres de la Terre du Milieu dans leur lutte contre le pouvoir grandissant de Sauron, le Seigneur des Ténèbres. Ils sont venus en secret, sous la forme d'humains et avec des pouvoirs limités à ceux existant sur la planète. On peut les reconnaître à leurs grands chapeaux, leurs longues tuniques et leurs bâtons étranges.

Chacun des Istari se distingue par une couleur qui symbolise son pouvoir et son rang au sein de l'ordre. Saroumane est le plus grand des Istari, surnommé le Blanc ; il porte une longue tunique blanche et flottante. Gandalf le Gris commence son voyage en Terre du Milieu à un grade inférieur.

GANDALF LE GRIS

« C'est ce magicien errant, Gandalf… »

Ayant beaucoup d'affection pour les Hobbits, le mage Gandalf visite Hobbitebourg de temps en temps, pour rendre visite à son ami Bilbo Sacquet – avec lequel il a partagé de nombreuses aventures –, contrôler la sécurité de la Comté et s'assurer que l'ombre qui s'étend toujours plus loin depuis Mordor ne touche pas cet adorable coin perdu.

Les habitants de Hobbitebourg le connaissent surtout comme le magicien errant, le créateur de ronds de fumée et de feux d'artifices. Les petites gens ne se rendent pas compte des véritables pouvoirs de leur visiteur occasionnel. Ils ne considèrent que son apparence : celle d'un vieil homme à la barbe grise, enveloppé d'un manteau poussiéreux, d'un haut chapeau pointu usé par le temps et qui utilise son bâton pour marcher, s'appuyer dessus et l'aider dans ses voyages.

« Pourquoi le Valar m'a-t-il envoyé ici dans ce corps de vieil homme,

enclin à tous les maux et les souffrances des mortels ? »

En tant qu'Istari, Gandalf est capable de déployer un pouvoir magique puissant et possède des connaissances immenses sur l'histoire de la Terre du Milieu et les savoirs de ses différents peuples. On ignore son âge véritable.

C'est Gandalf le Gris, Mithrandir pour les Elfes, qui mènera la Compagnie hors de Fondcombe au début de la quête destinée à détruire l'Anneau Unique dans les flammes de la Montagne du Destin, bien que la tentation soit grande de conserver l'Anneau pour son propre usage. Si son instinct l'incite à s'en servir pour de bonnes causes, Gandalf sait que le pouvoir de l'Anneau ajouté à sa force personnelle créerait une puissance trop grande et terrible.

Pour combattre les forces des ténèbres, Gandalf le Gris peut faire appel non seulement à ses pouvoirs de magicien, mais aussi à son bâton de pouvoir et à l'épée elfique, Glamdring.

« Ce n'est pas la force physique qui importe, mais celle de l'esprit… »

SAROUMANE LE BLANC

« Le plus sage de mon ordre : sa connaissance de la science des Anneaux est grande.

Il a longtemps étudié les arts de l'Ennemi. »

Le mage Saroumane le Blanc, Seigneur d'Isengard, est le membre le plus remarquable de la fraternité des Istari, connu en Terre du Milieu pour son savoir immense en matière de mystère et d'ésotérisme. Il a consacré beaucoup de temps à l'étude des Anneaux et, notamment, de l'Anneau de Puissance : sa fabrication et son histoire alors qu'il est passé de main en main et a disparu dans les ténèbres. Il est convaincu que s'il le trouve – ou un membre de son ordre –, il pourra en faire un excellent usage contre le pouvoir grandissant du Seigneur des Ténèbres.

« Le monde a changé, Gandalf. Une nouvelle ère est en marche,

celle des Hommes que nous devons dominer. Ne sommes-nous pas des Istari ?

Dans ces frêles enveloppes humaines, l'esprit de Maia n'est-il pas vivant ? »

Saroumane vit à Orthanc, une vaste tour façonnée dans un solide pilier d'obsidienne incassable qui se termine en flèche. Située au cœur d'Isengard, la forteresse stratégique occupe une position dominante entre les Monts Brumeux et la trouée de Rohan. Sa principale défense est formée par une clôture naturelle en pierre qui mesure plus d'un kilomètre et demi, et enferme des arbres et des jardins magnifiques arrosés par les fleuves s'écoulant depuis la montagne. Inconnu de tous, sauf de Saroumane, Isengard abrite une pierre exceptionnelle, le palantír, une grande boule noire qui lui permet de suivre les déplacements et mésaventures de ses alliés et de ses ennemis où qu'ils se trouvent en Terre du Milieu.

« Le pouvoir de créer

est le plus grand de tous. »

Les grottes situées au pied d'Isengard abritent un autre secret. C'est là qu'une nouvelle race de créatures est en gestation puisque Saroumane a le projet de former une armée capable de rivaliser avec celle du Seigneur des Ténèbres…

LES PUISSANCES DES TÉNÈBRES

« L'ennemi a de nombreux espions à son service, de nombreux moyens d'entendre…

même les oiseaux et les animaux… »

Depuis sa défaite à la bataille de Dagorlad, Sauron s'est efforcé de regrouper ses forces, bien qu'il n'ait pas réussi à retrouver l'Anneau de Puissance qu'il avait traîtreusement forgé et dont s'était emparé Isildur, grand roi de Gondor, avant d'être apparemment perdu pour toujours.

Au cours du millénaire qui s'est écoulé depuis sa chute, il a lentement mais inexorablement agrandi son armée de créatures et reconstruit sa forteresse de Barad-dûr. Sauron est désormais si puissant que s'il parvenait à mettre la main sur l'Anneau Unique, il pourrait briser toutes les résistances en Terre du Milieu et recouvrir toute la terre d'un nouveau voile de ténèbres. Son Œil cherche l'Anneau de puissance et il possède des serviteurs nombreux qui lui servent d'espions et de soldats. Les plus grands et les plus terrifiants d'entre eux sont les Nazgûl, connus aussi sous le nom de Ringwraiths (Spectres de l'Anneau), mais les forces des ténèbres incluent de nombreuses autres créatures, telles que les Orques, les Uruk-hai, les Trolls, et les Wargs.

LES ORQUES

« Ils furent des Elfes autrefois... »

Les Orques ne sont pas issus de la Terre du Milieu car ils furent créés par les puissances des ténèbres. Il y a bien longtemps, au cours du Premier Âge, des Elfes furent capturés, torturés et mutilés dans les donjons du Seigneur des Ténèbres. Ainsi, les plus belles et les plus nobles des créatures furent à l'origine d'une nouvelle et terrible forme de vie : les Orques. Ces créatures se multiplièrent jusqu'à former une armée de monstres destinée à opprimer les peuples libres de la Terre du Milieu. Dotés de la volonté maléfique du Seigneur des Ténèbres, ils sont bossus, sombre de peau, vicieux, mauvais, et n'ont plus guère de points communs avec leurs ancêtres Elfes. Élevés dans le noir, ils détestent la lumière et quand ils sortent sur ordre de leur maître, ils sont armés jusqu'aux dents et animés d'une énergie démoniaque.

Au cours du Troisième Âge, les Orques sont devenus si nombreux qu'ils sont présents partout à l'ouest, jusqu'à la Forêt Noire, à proximité de la Forêt d'Or de Lothlórien, lieu sacré pour les Elfes ; d'autres ont colonisé les grands palais des Nains de Khazad-dûm.

Leur aspect horrible et leur férocité n'a d'égale que la laideur de leur langage qui, bien qu'étant une forme appauvrie de ouistrain, la langue originelle de la Terre du Milieu, prend dans leurs bouches des sons déplaisants, enlaidis encore par l'introduction de mots et de phrases issus de la langue noire de Mordor où ils ont été créés.

LES ORQUES DE LA MORIA

Après l'abandon de la Moria par les Nains, leur antique cité bâtie dans les confins des Monts Brumeux, ce sont les Orques qui occupèrent les vastes salles et corridors désertés. Les Orques de la Moria ont une peau noire, des yeux protubérants adaptés à leur vie souterraine. Ils se déplacent comme des insectes, et utilisent les pointes de leurs armures noires pour escalader les murs et les piliers de Khazad-dûm.

URUK-HAI

« Les Orques se déplacent rarement à ciel ouvert, sous le soleil –

pourtant c'est bien ce que ceux-ci ont fait… »

Au pied de la cité d'Isengard, dans les cavernes situées sous la tour, le mage Saroumane a conçu sa propre race de super-Orques – une armée capable de rivaliser avec celle de Sauron, le Seigneur des Ténèbres. En croisant des Orques et des Gobelins, il a conçu des créatures au pouvoir et à la brutalité sans égal. Ce sont les Uruk-hai : plus grands et plus droits, ce sont des êtres musclés au sang noir et aux yeux de lynx. Infatigables, beaucoup plus intelligents et puissants que les Orques de la Moria, c'est une race de combattants terribles dotés d'armes aux lames redoutables et d'arcs à grande portée. Menés par Lurtz, les Uruk-hai d'Isengard sont facilement reconnaissables à l'insigne de la Main blanche de Saroumane qu'ils portent dans la bataille.

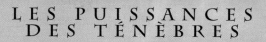
LES NAZGÛL

LES NEUF SERVITEURS DE SAURON

Autrefois, les Nazgûl furent de grands rois humains à qui Sauron donna neuf des Anneaux de Puissance et avec eux, la promesse d'une vie et d'une puissance éternelles. Ils prirent les Anneaux sans poser de question, mais leur avidité dissimula la véritable nature du Seigneur des Ténèbres et la traîtrise éventuelle : l'un après l'autre, ils tombèrent sous le pouvoir des Anneaux, leurs corps et leurs âmes corrompus par le Mal jusqu'à ce qu'ils ne soient plus des humains, mais des spectres dépourvus de substance. Sans visage et sans corps, ils sont devenus des fantômes terrifiants, dissimulés sous des tenues noires et portant des armures.

Montés sur leurs grands coursiers aux yeux de braise, ces Cavaliers Noirs sont armés d'épées d'acier et de feu, de masses et de dagues trempées dans un poison mortel alors que leur haleine fétide remplit de désespoir et de terreur ceux qui la respirent. Aucune arme ne peut les atteindre, à l'exception de celles que les Elfes ont fabriquées, et tous ceux qui les touchent sont destinés à mourir.

Récemment, on les a aperçus à proximité de la Comté.

HarperCollins*Publishers*
77–85 Fulham Palace Road,
Hammersmith, Londres W6 8JB
www.tolkien.co.uk

Publié par HarperCollins*Publishers* 2001

Texte © Jude Fisher 2001

Photographies, Photos de plateau, Extraits du scénario, Logos du film
© 2001 New Line Productions, Inc. Tous droits réservés.

Compilation © HarperCollins*Publishers* 2001

Titre original : *The Fellowship of the Ring Visual Companion*
Traduit de l'anglais par Marie-Odile Kastner

Ce livre est publié avec l'accord de Christian Bourgois,
éditeur du *Seigneur des Anneaux* de J.R.R. Tolkien en langue française.

© Le Pré aux Clercs pour la traduction française, 2001
ISBN : 2.84228.134.9
N° d'éditeur : 129

Photographies : Pierre Vinet
Rédacteur en chef : Chris Smith
Maquette : Terence Caven
Production : Arjen Jansen

Imprimé et relié en Belgique
par Proost NV, Turnhout.